Ludovico Einaudi

CANONE

per due violini

21
IV
0
p f
mf
25
p
mf
29
f
IV
33
p
37

2 VIOLINS

LUDOVICO EINAUDI

Canone

per due violini

RICORDI

NR 134732
ISMN 979-0-041-34732-5

IV

61
f
IV
p
f
p
65
0
mf
69
IV
f
73
IV
p
mf
p
mf
p
77
0
f

Ludovico Einaudi - Milano 25 Febbraio 1987